En una linda casita hecha en el tronco hueco de un árbol, vivían tres ositos: mamá Osa, papá Oso y el hijo Osito.

Los tres pasaban la vida en el bosque, mamá regando su jardín, papá Oso trabajando y Osito siempre jugando.

Además, era mamá Osa la que se ocupaba de todos los quehaceres de aquella casita tan bien ordenada...

...mientras papá Oso descansaba de su pesado trabajo, leyendo el periódico en su sillón favorito.

Los domingos salían los tres al bosque y se divertían dando alegres serenatas con el tambor, el violín y la trompeta.

Pero esas diversiones duraban poco, y mamá Osa siempre tenía que estar lavando la ropa sucia o barriendo el hogar.

Un día, llegaron los tres ositos a su casa muy cansados por el duro trabajo de toda la jornada.

Al momento, mamá Osa empezó a poner en la mesa los humeantes platos de sopa para la cena.

A Osito no le gustaba mucho aquella sopa, pero papá Oso le dijo:
—¡Si no comes sopa no crecerás como yo, Osito!

Mientras tanto, la pequeña Lilí se había extraviado por el bosque
y no sabía volver a su aldea.

De pronto, vio la casita del árbol y entró, y como tenía hambre, se comió lo que quedaba de la cena...

...y cuando los ositos volvieron al comedor vieron que no les quedaba ya nada en los platos.

Como estaba muy cansada, Lilí subió arriba y se acostó en la cama más grande que vio en un dormitorio.

Pero Osito, en lugar de enfadarse, la ayudó a acostarse entre las sábanas y la contempló mientras dormía.

"¡Ahora tendré una compañera para mis juegos!", pensaba Osito, esperando que se despertase Lilí.

¡Y al día siguiente, Osito y Lilí empezaron a recorrer todas las tierras del contorno, jugando y riendo...!

Y vadearon el riachuelo, haciendo Osito de caballito para que
Lilí no se mojase los pies...

Al llegar la hora de comer, mamá Osa empezó a preocuparse.
—¿Dónde estarán Osito y esa pobre niña?

Como tardaban tanto en volver, mamá Osa se puso muy triste y papá Oso se ofreció a ir en su busca.

Pero dos horas más tarde... —¡Los he buscado por todas partes y no he podido encontrarlos!

Papá Oso volvió a recorrer todo el bosque sin hallarlos, hasta que desde lejos divisó una aldea...

No lejos de allí halló a unos niños que jugaban. —Niños, ¿habeis visto a Lilí y a Osito? Pero todos los niños huyeron asustados.

Sin acordarse de la hora, Osito y Lilí seguían jugando... —¡Mira
qué cesta de flores he cogido, Lilí!

Mas al llegar la noche y al verse perdidos en el bosque, Osito se asustó mucho y Lilí se echó a llorar.

Conejito, que era muy buena persona, vio lo que les pasaba a Lilí y a Osito y decidió ayudarles.

Conejito les dio una linterna para que Lilí y Osito pudieran encontrar el camino de la casa.

Gracias a la luz de la linterna, no tardaron en divisar el poste que anunciaba la dirección de la casa de Los Tres Ositos.

¡Y ya no tardaron en llegar a la casita de los Ositos, dentro del tronco hueco del árbol!

¡Qué alegría tuvieron mamá Osa y papá Oso cuando vieron llegar
sanos y salvos a Osito y Lilí!

Al día siguiente, los ositos acompañaron a Lilí a la aldea donde vivía con sus padres...

...y papá Oso se despidió de Lilí. —¡Desde aquí ya sabrás llegar a tu casa sin perderte!

© Editors, S. A. - Edición: noviembre 1989 - Dep. Legal: B. 81.506-89 - ISBN: 84-7561-082-X - ISBN: 84-7561-076-5 (obra completa) - Impreso en España por Alvagraf, S. A., Gerona, 6, La Llagosta (Barcelona) Printed in Spain.

¡Y Osito iba todos los días a la aldea para jugar con Lilí y todos sus buenos amiguitos!